Texte de Pascal Henrard
Illustrations de Fabrice Boulanger

Hurtubise

Catalogage avant publication de Bibliothèque et Archives nationales du Québec et Bibliothèque et Archives Canada

Henrard, Pascal, 1963-

Auguste fait de la construction

(Auguste)
Pour enfants de 4 ans et plus.

ISBN 978-2-89647-529-2

I. Boulanger, Fabrice. II. Titre.

PS8615.E57A932 2011   jC843'.6   C2011-941061-3
PS9615.E57A932 2011

Les Éditions Hurtubise bénéficient du soutien financier des institutions suivantes pour leurs activités d'édition :

- Conseil des Arts du Canada ;
- Gouvernement du Canada par l'entremise du Programme
  d'aide au développement de l'industrie de l'édition (PADIÉ) ;
- Société de développement des entreprises culturelles du
  Québec (SODEC) ;
- Gouvernement du Québec par l'entremise du programme de
  crédit d'impôt pour l'édition de livres.

Textes : Pascal Henrard
Illustrations : Fabrice Boulanger
Édition : Pascale Morin
Graphisme et mise en page : René St-Amand

Copyright © 2011, Éditions Hurtubise inc.
Copyright © 2011, Textes de Pascal Henrard

ISBN 978-2-89647-529-2 (version imprimée)
ISBN 978-2-89647-617-6 (version numérique)

Dépôt légal : 3e trimestre 2011
Bibliothèque et Archives nationales du Québec
Bibliothèque et Archives Canada

Diffusion-distribution au Canada :
Distribution HMH
1815, avenue De Lorimier
Montréal (Québec) H2K 3W6
www.distributionhmh.com

Diffusion-distribution en Europe :
Librairie du Québec/DNM
30, rue Gay-Lussac
75005 Paris France
www.librairieduquebec.fr

Imprimé à Singapour

www.editionshurtubise.com

Au petit garçon que nous devrions toujours garder en nous. *P. H.*
À mon petit loulou. Une collection rien que pour toi. *F. B.*

Aujourd'hui, papa et maman emmènent Auguste
à la quincaillerie.

Ils ont décidé de construire une cabane dans le jardin
pour ranger les râteaux, les pelles et les jouets.
Ils ont besoin de planches pour les murs,
de tuiles pour le toit et de clous
pour tenir le tout.

— Gus, ne cours pas partout ! crie maman.

C'est pourtant tellement amusant de jouer
dans les rayons avec les outils, les planches,
les échelles et les pots de peinture.

— Gus, ne joue pas avec les vis et les clous !
lui ordonne papa.

C'est pourtant tellement rigolo d'entendre
leur **dinguelingueding**. On dirait
le son des pièces de monnaie dans une tirelire.

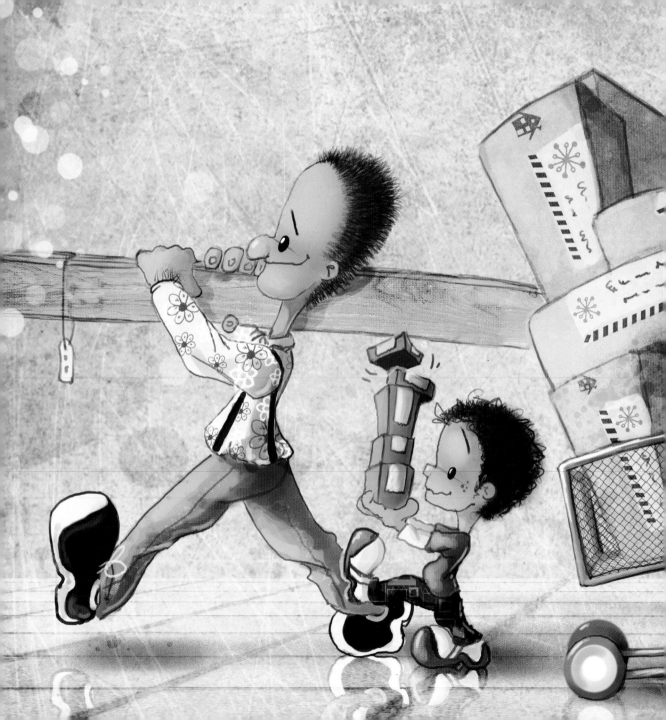

Papa arrive avec des planches plus grandes que lui, maman, avec un panier bien rempli, et Auguste, avec des boîtes pleines de clous. Ils peuvent rentrer à la maison pour commencer les travaux.

— Maman ! N'oublie pas le marteau, dit Auguste
en passant devant le rayon des outils.

— On en a déjà trois à la maison. Je ne crois pas
qu'on en ait besoin, répond maman.

Gus est déçu.

Pendant que papa et maman attachent les planches sur l'auto, Gus trouve par terre un casque de construction. Il regarde autour de lui, mais il n'y a personne. Il décide de le mettre sur sa tête. Avec son pantalon bleu, il ressemble à un véritable ouvrier.

— Hé, Gus, crie un gros monsieur qui a le même casque que lui. Attrape le marteau et viens nous aider !

Auguste n'en croit pas ses oreilles. C'est bien à lui que s'adresse le travailleur. Il attrape le marteau, arrive en courant et grimpe sur les échafaudages.

— Gus! appelle un autre ouvrier. Prends cette planche avec moi et tiens-la bien.

Bang! Bang! Auguste frappe de toutes ses forces sur les clous. C'est dangereux. Le marteau est lourd et l'échafaudage est bien haut.

Greg appelle Gus.

— Apporte-moi les briques.
Il faut finir le mur !

Auguste remplit la brouette et
la pousse en faisant attention
de ne rien renverser.
Ce n'est pas facile.

Auguste a chaud sous son casque, mais il doit le garder
au cas où il aurait un accident.

Il met du ciment sur sa truelle et badigeonne les briques
comme des tartines. Il empile les briques les unes sur
les autres. Une couche de brique, une couche de ciment,
ça ressemble au tiramisu de papa. Il commence à avoir faim.

C'est l'heure de la pause. Gus s'assoit avec ses nouveaux amis. Franck lui donne un gros morceau de sandwich. Bob lui tend une belle pomme. Et Greg lui offre sa gourde d'eau bien fraîche. Ça fait du bien de s'arrêter un peu !

Auguste doit maintenant
transporter des poutres,

installer une échelle,

mélanger le ciment,

attacher une bâche,

mesurer la hauteur du mur, **boucher** un trou,
scier un tuyau... Ce n'est pas reposant...

Le chef a demandé à Gus de dénouer les fils électriques.
On dirait une toile d'araignée. C'est moins épuisant que
de porter des briques, mais c'est plus difficile que de clouer
des planches. Auguste est tout emmêlé.

Gus est fatigué. Il a mal aux mains,
il a mal aux bras, il a mal au dos.
Ses cheveux piquent sous son casque
et il aimerait bien aller se coucher,
mais la journée n'est pas encore finie.

Pendant que papa et maman fixent
leurs achats sur le toit de l'auto,
Auguste entend une voix qui l'appelle.

— Tu n'as pas vu mon casque?

— C'est celui-ci? demande Gus en tendant
le beau casque qui lui a si bien servi.

L'ouvrier remet son casque sur sa grosse tête
et s'en va vers le chantier en sifflant pendant
qu'Auguste s'endort sur le siège arrière de l'auto
de ses parents.

Fiou! il a eu une grosse journée.

FIN